내 삶, 다시 봄

내 삶, 다시 봄

발 행 | 2024년 05월 13일
저 자 | 울산남부도서관 '내 삶, 다시 봄' 수강생
엮은이 | 정용호
펴낸이 | 한건희
펴낸곳 | 주식회사 부크크
출판사등록 | 2014.07.15.(제2014-16호)
주 소 | 서울특별시 금천구 가산디지털1로 119 SK트윈타워 A동 305호
전 화 | 1670-8316
이메일 | info@bookk.co.kr

ISBN | 979-11-410-8478-3

www.bookk.co.kr

내 삶, 다시 봄

울산남부도서관 '내 삶, 다시 봄' 수강생 지음
정용호 엮음

일러두기

이 책은 울산 남부 도서관에서 2024년 상반기 평생교육강좌로 열린 '내 삶, 다시 봄' 자전적 에세이 쓰기에 참여한 수강생의 글을 모은 것입니다.

참여해 주신 수강생분들의 열정과 울산남부도서관 관계자분들의 세심한 준비와 배려에 감사를 드립니다.

발 간 사

울산남부도서관장 최형근

사람이 온다는 건
실은 어마어마한 일이다
그는 그의 과거와
현재와
그리고
그의 미래와 함께 오기 때문이다.
한 사람의 일생이 오기 때문이다.
　　　　- 정현종의 시 <방문객> 중 -

'내 삶, 다시 봄' 책 발간을 진심으로 축하드립니다.

이 책은 울산남부도서관 2024년 상반기 평생교육 프로그램 '자
전적 에세이 쓰기'에 참여한 수강생들의 글로 이루어져 있습니다.
짧은 시간에 자서전 발간을 위해 지도해 주신 정용호 교수님과 함

께 동참하신 수강생분들께 진심으로 감사의 인사를 드립니다.

우리는 성장하면서 특별한 순간들을 경험하며 성공과 좌절, 행복과 슬픔을 맛보며 다양하고 소중한 삶을 살아왔습니다. 이 시간들을 통해 우리의 인생 여정을 되돌아보고, 소중한 이야기를 기록하는 과정에서 더 깊은 이해와 성장을 이끌어낼 수 있었다고 봅니다.

이 한 권의 책으로 자신의 새로움을 발견하고 나누는 즐거움을 경험해 보시기 바랍니다. 여러분의 이야기가 더 많은 사람들에게 공감을 줄 수 있기를 기대하며 살아갈 인생 여정에 큰 힘이 될 소중한 동반자가 되기를 바랍니다.

그리고 울산남부도서관은 지역사회의 평생교육과 문화활동을 지원하여 변화하는 지식기반 사회의 발전을 촉진시키고자 하며 지역주민의 관심사와 요구에 귀 기울여 지역사회와 함께하는 동반자가 되도록 더욱 힘쓰겠습니다.

감사합니다.

남부도서관에서

정용호

('내 삶, 다시 봄' 강사)

전역하고 나서 남부도서관에서 아르바이트를 했었다고 기억합니다. 아마 그랬던 것 같습니다. 아는 형님이 소개해 준 자리이기는 했지만, 모르는 형님도 함께 일했기 때문입니다. 군대 다녀오기 전에는 특히 숫기가 없었던 탓에, 모르는 형님과 함께 어울렸을 리가 없거든요.

아무튼 그때 남부도서관에서 아르바이트를 했습니다. 책 수레를 옮기는 일, 서가에 책을 꽂는 일, 지하에 있었던 보존서고에 책을 가져다 놓거나, 정리하는 일을 했었던 것 같습니다. 뒷문에서 음료수를 마시면서 잠깐 이야기를 나누던 시간도 떠오릅니다.

2층이었는지 기억나지 않는 자료실에서 대출과 반납을 잠깐 도운 적도 있었습니다. 따뜻한 커피를 닮은 색이 그 공간에 관한 기억을 채우고 있습니다. 사서 직원분께서 잠깐 자리를 비우는 동안이었습니다. 어쩐지 부담스러워 마다했지만, 함께 일하던 형님도 다른 일을 해야 해서 별수 없이 맡았던 것 같습니다. 원활하지 못

한 부분이 있었다고 기억하지만, 큰 실수 없이 지나갔던 것 같습니다. 물론 대단히 뻘쭘하게 앉아 있었던 것도 같지만요.

그때 눈에 들어온 사람이 있었습니다. 나이 지긋한 어르신이었는데, 여섯 명이 앉을 수 있는 넓은 책상에 앉아서 문제집이었는지 참고서였는지 모를 책을 보고 계셨습니다. 귀에 이어폰도 꽂고 있었던 것 같은데, 정확하지는 않습니다. 아무튼, 그때 저에게는 도서관 자료실에 나이 지긋한 어르신이 앉아 있는 모습이 대단히 낯설었습니다.

불과 십여 년 전이지만, 그때까지만 해도 인구가 줄어드니 어쩌니 하는 걱정보다는 청춘들의 젊음에 관해서 이야기할 수 있는 낭만이 있었습니다. 도서관은 어쩐지 '한창 공부할 때인 사람들'이 모이는 장소처럼 느껴졌던 것입니다. 물론 저는 도서관도 즐겨 이용하지 않았을뿐더러, 고작해야 대학교 도서관만 다녔기 때문에 공공 도서관의 분위기를 몰랐을 겁니다.

도서관은 존재의 당위성에도 불구하고 쉽게 잊히는 존재인지도 모릅니다. 숨쉬기의 소중함을 숨 쉬지 못하는 상황에서야 깨닫는 것처럼, 지역 도서관의 소중함도 그곳이 사라질 수 있다는 위기에 닥쳐서야 비로소 뚜렷해지는 듯합니다.

도서관에는 수많은 책이 꽂혀 있습니다. 선택되는 책은 그리 많지 않을 수도 있습니다. 노트북을 펼쳐 놓고 있는 사람들에게 서가에 꽂힌 책은 큰 매력이 없으니까요. 굳이 책을 읽지 않더라도 정보를 찾을 수 있는 시대입니다. 책에 실린 이야기보다 더 재미있고 흥분되는 이야기가 카메라에 담겨 사람들 손에 배달됩니다.

도서관은 그만의 방식으로 역동적인 모습을 보입니다. 조용히 앉아 책을 읽거나 빌리고 반납하는 장소에서 벗어나 다양한 활동이 이루어지는 장소로 존재 의미를 확장했습니다. 그 중심에 평생교육이 자리 잡고 있습니다.

평생교육은 비단 중년이나 신중년을 대상으로만 이루어지는 것이 아닙니다. 말 그대로 생애 전체에 걸쳐 진행되는 교육을 의미하고, 학교와 사회에서 쉽게 접할 수 없는 부분들을 도서관 평생교육이 채워줄 수 있다고 생각합니다. 그중에는 단순히 강사가 지식이나 정보를 전달하기만 하는 강의 이외에도, 수강생 스스로 생성하는 활동도 있습니다.

글쓰기가 바로 그것입니다. 책을 읽는 장소에서 글을 쓴다는 게 어쩐지 이상하다고 생각하는 분도 계시겠지요. 그러나 읽는 것은 쓰는 것과 사실상 같은 행위입니다. 읽는 동시에 일어나는 감정과 펼쳐지는 생각들은 자기 자신이 표현되는 순간이기도 합니다.

그래서 글쓰기는 교육(敎育)으로 이루어지는 활동이 아니라, 함께 나누며 자라는 과정인지도 모릅니다. 저는 그걸 교육(交育)이라고 부르고 싶습니다.

여기, 8주라는 짧다면 짧고 길다면 긴 시간 동안 함께 나누면서 만들어 낸 글들이 있습니다. 짧지만 깁니다. 헤아릴 수 없는 삶의 시간이 담겨 있습니다. 다시 봄으로써, 다시 봄을 맞습니다. 울산남부도서관에 관한 아름다운 기억이 이렇게 또 새겨졌습니다.

차 례

나의 변화의 물결

류옥하

아들이 고등학교 3학년 되는 해에 난 47살이었다.

47년 동안 꼭 필요한 말이 아니면 하지 않았다. 내 속에 무엇이 있는지 나도 몰랐다. 감정에 기복이 없었다. 이런 나의 습관으로 친구들 모인 자리에서도 말이 없었다. 한 친구는 나의 이런 모습에 다른 사람 말을 잘 들어준다고 생각하기도 했다.

어릴 때 엄마가 유난히 강조하신 것은 공부였다. 공부를 열심히 해서 훌륭한 사람이 되기를 바라셨다. 늘 똑같은 내용을 반복적으로 들어야 했다. 그때마다 말대꾸를 하지 않아서 착한 아이로 보였다.

결혼 후, 나만의 공간이 있어서 얼마나 행복했는지!

아침이면 남편 배웅하고, 저녁이면 남편을 기다리고. 남편을 많이 사랑했다.

아들, 딸 두 명의 엄마인 난, 잘 키울 방법을 몰랐다. 난 내 엄마가 나에게 공부 열심히 하라는 말을 한 것처럼 아들에게 똑같이 했다. 말할 때와 들을 때 아들의 자세는 영락없이 옛날의 내 모습이다.

고개를 밑으로 숙이고, 한 곳만 응시한 채. 끝날 때쯤 의미 없는 대답.

"네."

아들이 중학교 다닐 즈음 컴퓨터를 갖고 싶어 하는 마음이 컸다. 학교에서도 친구들 사이에 그 신기한 물건으로 대화의 꽃을 피웠다. 늘 컴퓨터 원하는 소리가 파리 마냥 윙윙 거릴 때, 더 미룰 수 없어서 그 신기한 물건을 구입했다.

친구들과 밖에서 놀던 아이가 컴퓨터 앞에서 머무는 시간이 길어져 갔다.

난 47살을 강조한다. 변화의 물결이 생긴 해. 남편 회사생활은 종지부 찍고, 내가 돈을 만들어야 했다. 분식집을 시작했다. 직원 8명과 함께. 몇 달 뒤 또 다른 장소에 가게를 더 오픈했다.

이때부터 내 성격이 변해갔다. 표현을 못 하는 내가 표현을 꼭 해야 하는 일이 많아졌다. 가게는 8년 동안 잘 되고 있었다. 그런데 가슴 속에 돌이 박혀 빠지지 않았고, 숨쉬기 힘들 때가 많았다. 나에게 아들이 돌이었다.

그즈음에 나는 망상하는 시간이 길어졌다. 아이와 둘이서 세계여행을 꿈꾸었다. 돌파구가 될 수 있을 것 같아. 가게 직원들, 남편에게 여행 가도 된다고 허락을 받고, 지인들에게도 소문을 내고, 6개월을 준비했다. 정작 중요한 아들의 생각은 묻지도 않은 채 시간이 가까워져 왔다.

"싫어요. 엄마 혼자 잘 다녀오세요."

아들이 답했다.

난 배낭을 메고 혼자 인천공항에서 유럽으로 가는 비행기 안에 있었다. 45일간 첫 해외 배낭여행은 55살이었다. 그 여행은 참으로 소중했다. 나 자신을 변화시켰다. 낯선 길에서 만난 많은 사람, 서로 다른 문화, 언어, 음식. 시간 가는 줄 모르고 행복한 시간을 보냈다.

다시 집으로 돌아왔다.

여행은 내가 나를 사랑하게 만들었다. 아들을 진정으로 사랑할 수 있게 되었다. 아픔도, 기쁨도, 행복도 우린 나눌 수 있게 되었다. 5년이 지났다. 아들은 배낭을 메고 엄마가 다녔던 그 길을 걸어갔다. 2개월 동안.

그림 생각

김지완

1

초중 학창 시절, 미술 시간은 나의 역량이 빛을 발했던 시간이다. 내게는 대상을 비슷하게 그려내는 소질이 있었다. '사생 실기 대회(그림대회)'는 더욱 관심을 받았고 대부분 상을 받았다. 심지어 선생님이 도와준 거 아니냐는 의심을 받기까지 했다.

당시 어떤 트로피는 내 키만 한 것도 있었다. 중학교 졸업 때까지 미술 대회가 있던 날 조회 시간이면 전교생이 보는 앞에서 소급 수상했던 기억이 있다.

당연히 미술반은 내가 대장이었다. 미술 선생님의 칭찬은 물론이다. 지금도 오랜만에 친구를 만나면 '너 그림 잘 그렸지'하고 기억한다.

나의 그림 행진은 중학교 졸업으로 끝이 났다.

중3 때인가 사건이 생겼다. 교실 칠판 구석에 흠을 연결하여 쪼그마한 사람 모습을 그려놨더니 애들이 덧칠하여 여자 나체를 만들었다.

시간이 흐를수록 나체는 더욱 선명해졌고. 결국 최○○ 체육 선생님께 발각되었다. 다혈질의 체육선생은 이를 문제화시켜, 초안을 그린 나에게 복도 근신 3일을 때렸다.

나는 졸지에 자존심과 그림에 대한 긍지가 상실되는 충격을 받았다.

중3 시절의 칠판 낙서 사건으로 그림에 대한 미련을 접게 되었지만 사실 또 하나의 심리적인 이유가 있었다. 부모님은 그림 전공을 바라지 않으셨고, 뭐든 지속적으로 못하는 나의 의지력이 심리적으로 그림을 더욱 멀리하게 하였다.

이제 만60세 정년퇴직하여 시간적 여유를 갖게 되고 다시금 그림에 대한 추억과 미련을 떠올려 본다.

뭐든지 언제든 할 수 있는 소중한 시간적 기회에 다시 그림 해 볼까 하는 마음이 든다. 한편 내가 내 그림에 실망하여 좌절을 느껴서 시간 낭비가 되지는 않을지 의심도 든다.

모든 사람은 궁극적으로 자신의 행복을 위해, 주어진 여건에서 최선의 선택과 노력을 한다. 여행 가기 전의 마음처럼 지금 그림을 다시 해 볼까 하는 설렘이 있다.

2

내게는 두 아들이 있다.

큰 애는 엄마를 닮아 성실하고 나를 닮아 유쾌하고 덜렁댄다.

막내는 나를 닮아 게으르고 산만하지만 그림을 잘 그린다.

막내는 일반대학을 졸업하고 직장인이다. 요즘도 직장을 마치면 그림동아리에 달려간다. 심지어 동아리 전시회도 출품한다. 게으른 애가 저토록 그림을 좋아하나 싶어 놀랍기도 하고 회사 마치면 놀기만 했던 나와 비교되기도 한다.

막내가 노트나 교과서 빈 공간만 있으면 만화를 그리는 모습은 나를 보는 듯했다. 중3일 때, 수학을 잘해서 과학고에 수학 영재생으로 선발되어 부모로서 기뻤다. 하지만 정작 본인의 그림에 대한 미련을 인정하여 미술고 응시를 허락하였으나 낙방하였다. 이후 과학고도 안되고 결국 일반고에 진학하였다.

어느 날 막내가 그림을 전공하지 못한 게 한스럽다는 말을 했다고 아내가 귀띔했다. 동아리에 그림을 전공하여 생계를 이어가는 사람들이 있어 아쉬워서 하는 말이지만, 나의 경험에 비추어보면 부모의 역활이 원망스럽다는 말로도 들렸다.

나의 부모처럼 나도 막내에게 적극적으로 그림을 지원하지 않았고, 어느 순간의 나처럼 막내도 그런 부모를 은근히 원망할 수 있으리라 짐작한다. 돌이켜 보면, 나와 막내는 그림을 그만두면 죽고 미칠 정도는 아니었으니 남 탓할 일은 아니다.

좋아서 하는 일은 누가 시켜서 혹은 대가를 바라서 하는 일이 아니다. 비록 전공은 못 했지만, 아들이나 나나 지금 그림을 그릴 수 있다면 즐겁고 감사하고 만족할 일이다.

누가 알겠나, 이러다 우리 가문에 비전공 화가 두 명이 탄생할지……ㅎㅎ

소원 성취

김지완

"정년하고 일없이 놀면 심심해서 어찌 사냐", "아직 한창 일할 나이인데", "그래 좀 쉬다가 일해야지", "벌어 놓은 돈이 많은가…"등등 정년 이후에 노는 생활에 대한 의견은 분분하다. 대체로 부정적인 의견이 많다. 어쩌면 노는 데도 용기가 필요할 정도로 일 중독, 일 중심의 시대에 사는 느낌이다.

직장 없이 지낸 지 벌써 6개월이 지났다. 특별히 만족스럽거나 해피하진 않지만 그다지 부족하거나 불편하지도 않다. 다만 상황과 환경의 변화에 적응하느라 약간의 노력이 필요했다.

정년 이전과 달리 지금은 출퇴근과 월급이 사라진 점 외에도 회사와 관련된 일과 사람의 교류가 확 없어졌다. 이런 경험은 내게 허무하거나 반대로 해방감을 느끼다가, 슬그머니 우울하거나 유쾌해지기도 한다.

어쩌다 사람들을 만나면, 잘난 사람의 자랑과 못난 사람의 시기에 피로감을 느낀다. 못난 사람에게는 잘난 사람의 성공담은 물론이고 그냥 하는 얘기도 자랑처럼 들리고 시기하게 된다. 자랑과 시기에는 나도 당연히 포함된다. 문제는 배려와 축하가 넘치는 자리에서도 위선적인 느낌이 들어서, 만남이 3시간만 지속되면 자리를 파하고 싶다. 늙어가는 증상인가…?

과연 나는 어떤 생활을 좋아하고 꿈꿔왔던가?

나의 어릴 적 꿈은 실컷 놀고 과자가게나 만화방 주인이 되는 거였고, 학창 시절에는 공부 안 하고 잠 실컷 자는 것이었다. 심지어 직장 다닐 때는 아무것도 하지 않거나 뭐든지 할 수 있는 자유로운 생활이 꿈이었다. 돌이켜보면 지금까지 나의 소원은 놀고 쉬는 자유로운 생활이었다!

정년 이후의 삶은 이런 오랜 꿈이 이뤄진 시간이다. 오랜 굴레에서 벗어나 자유를 만끽하는 복된 시간이다.

사람들은 보람되거나 댓가가 있는 뭔가를 하려고 하지만 나는 이 자유를 존중한다. 기본적인 衣食宙만 해결된다면, 남에게 민폐 없다면 내 마음대로 내 형편대로 살면 될 일이다.

가까운 대공원 소풍이나 남부도서관 교양 강좌나 들으면서 즐겁게 살면 큰 돈도 필요 없다. 세계 대신 국내 여행도 좋다.

주위를 둘러본다. 잘나고 성공한 풍요로운 삶도 있지만, 그 반대로 빈곤한 삶도 있고, 장수하는 삶도 있지만 요절하는 삶도 있다. 안타깝게도 모든 이의 삶은 공평하지 않고 다르다. 그러므로 인생은 누구와 비교하고 누구를 위해서 살 수도 없지만 그러기엔 시간이 너무 아깝다.

누구나 마찬가지로 나는 우주에 하나뿐인 존재이며 세상 모든 생각과 시간의 중심이다. 지금의 나는 영욕의 세월을 겪은 결과물이다. 나의 지금은, 고귀하고 불쌍한 나를 위한 소중한 선물이요 보상이다.

따라서 누가 뭐라든 오랫동안 꿈꾸던 나의 소원을 성취하였으며, 적어도 특별한 다른 소원이 생길 때까지는 지금의 소소한 자유를 실컷 누려볼 작정이다!

내 인생

한동순

◆1976년. 12세. 가난

우리 가족은 20가구가 다닥다닥 붙어있는 판잣집에서 살았다. 아버지는 목수셨고 엄마는 가발공장에 다니셨다. 나는 12세부터 가족들을 위해 밥을 해야 했다. 물은 수돗물이 아니라 공동 우물물이었고, 순번을 기다리기 위해 줄을 서야 했다. 양철통을 들고 줄을 서서 물을 받아 밥을 해 먹었다. 공동수도가 있었지만, 수돗물을 사려면 1원이 필요했다. 양쪽 지게에 지고 걸어온 기억이 아련하다.

◆1979년. 16세. 일기 쓰기

종이가 귀한 시절이라 누런 갱지에 일기를 쓰기 시작했다.

외로운 사춘기에 독서를 하며 허기를 달랬다.

당시 등장한 핫도그가 먹고 싶어 25원 버스 회수권을 내고 핫도그와 교환했다. 맛있는 핫도그는 사 먹었지만, 버스를 타지 못하고 한 시간을 걸어온 적이 있다. 연탄불에 부침개를 부치다가 연탄가스에 심하게 중독된 적도 있었다.

아이들이 내 이름 동순이를 '똥순이'라고 놀려서 '현정'이라고 예명을 지었다. 어질 현(賢) 곧을 정(貞)을 골라서 지었다.

◆1982년. 19세. 남동생의 주폭

두 살 아래의 남동생이 학교를 자퇴하고 술을 마시며 난폭하게 굴기 시작했다. 냉장고를 부수고 집안 집기들을 집어 던지고 파출소를 밥 먹듯이 다녔다.

◆1983년. 20세. 등산. 여행

'바람의 딸'이 되기로 했다. 등산과 여행에 매료되었다. 복잡한 우리 집이 싫어서 5년 동안 전국의 산을 다녔다.

◆1985년. 22세. 지리산 화대종주.

혼자서 경비 25,000원으로 지리산 화대종주를 했다. 교통시설도 불편했고 등산길도 잘 다듬어지지 않은 산길을 하루 12시간씩 3일간 걸으면서 마음을 다졌다.

어떠한 고난과 역경이 오더라도 난 헤쳐나갈 거라고.

내 삶을 단단히 지탱해 주는 엄마 품속 같은 지리산이었다.

　　1985. 8. 22. 화엄사-뱀사골 산장. 7:40-밤 8:30

　　1985. 8. 23. 뱀사골 산장-장터목 산장. 산행 7:30-18:30.

1985. 8. 24. 장터목산장-대원사 평촌. 7:00-17:30.

지리산 화대 종주 경로

화엄사-코재-노고단-임걸령-노루묵-날라리봉(삼도봉)-반야봉-뱀사골 산장. 1박.

토끼봉-명선봉(총각샘)-연하천산장-삼각고지-형제바위-벽소령-덕평봉-칠선봉-세석평전(산장)

촛대봉-연하봉-장터목산장. 2박.

제석봉-천왕봉-천왕샘-중봉-써리봉-치밭목산장-무재치기 폭포-유평리-대원사-평촌.

◆1987년 6월 29일. 24세

남동생의 주폭 때문에 비혼을 선택했는데 지금의 남편을 소개로 만났다. 직업은 용접사. 나보다 체중이 덜 나가는 남자.

취향이 전혀 다르다. 서울 여자와 경상도 남자. 맞는 게 거의 없다. 그나마 등산은 좋아한단다.

몇 번 만났으나 마음이 가지 않았다. 이별 통보.

◆1987년 10월. 24세. 재회

연휴 때만 되면 설악산 종주를 했다. 산에 갔다 오니 엄마가 이 남자 아니면 사위를 안 본다며 우셨다.

5년 동안 산만 다녀서 엄마에게 늘 미안했고, 남동생의 주폭도 무서웠다. 가족들이 우글거리는 방 한 칸에서 여전히 악다구니가 들려왔다. 가족의 굴레를 벗어난다면 천국이 있을 거라 생각했다. 철부지였다.

결혼으로 현실을 도피해야 되겠다고 생각했다.

◆1988년. 25세. 결혼

서울을 등지고 천릿길인 경북 울진에서 신혼 생활을 시작했다. 방 한 칸에 연탄을 때는 남편의 자췻집이었다.

한 달만 살자고 했던 집에서 1년을 머물렀다.

남편을 소개해준 여동생은 울진까지 와서 내가 사는 집을 보고 남편도 안 보고 서울로 갔다. 신혼인데 남편은 결혼 전처럼 포커도 하고 늦게 귀가했다.

난 인켈 오디오에서 흘러나오는 음악으로 위안을 삼았다.

◆1990년. 27세. 큰딸이 하늘나라에 가다

큰딸을 낳고 임신한 지 5개월이 되자 시댁에서 뱃속의 아이가 딸이면 중절 수술을 하라는 압력이 들어왔다.

부모님 말씀을 거역 못 하는 남편은 내 편보다 시부모님 편에 섰다. 중절 수술 후 2개월 뒤에 22개월 된 큰딸이 유아돌연사로 하늘나라 갔다.

◆1991년. 28세. 큰아들 출산

◆1993년. 30세. 둘째 아들 출산. 내 집 마련

남편은 큰 딸아이 일로 충격을 받아 우울증에 걸려 회사도 나갈 수 없었다. 울산 시내에서 떨어진 시골로 이사했다. 나를 닮은 둘째가 태어났다.

두 번의 자연분만을 해서 공포가 극에 달했다. 진통을 겪다가 태아가 위험하다고 제왕절개로 분만했다. 제왕절개의 후유증으로 수술 자국이 가려워서 한동안 고생했다.

◆1995년. 32세.

몇 년간 직업군인이었던 시아버님의 성격은 공격적이고 정을 주지 않았다. 남들에겐 더없이 자상하고 배려를 하지만 며느리인 내겐 군대에서 후임 대하듯 하셨다. 결혼하고 큰 산이 내 앞에 가로막혀 있을 줄은 꿈에도 생각하지 못했다.

시어머님도 소 한 마리 키운다고 생각하신 건지 나를 일꾼으로 대하셨다. 나를 무시하시고 상전처럼 행동하시고. 개가 끌려다니듯 수시로 전화를 주시며 많은 지시를 내렸다.

◆2011년 9월 13일. 내 나이 48세.

친정아버지 79세. 추석 다음 날. 친정아버지 영면.

시골에서 수술을 세 번이나 하고, 서울로 이사 와서 다시 큰 수술 하셨다. 장 수술만 네 번째 하셨다. 목수 일 하시다 떨어져서 다리 수술, 무릎 수술, 그리고 교통사고가 나서 뇌 수술까지 했는데, 암이 발병했다.

친정아버지 돌아가시기 전까지 결혼하고 23년 동안 명절날 친정에 가지 못했다. 남편도, 시부모님도 친정에 갔다 오란 말을 한 번도 하지 않았다. 친정아버지 기일이 추석 명절이다.

◆2014년. 51세. 고부갈등과 농사 전쟁.

갑자기 시어머님이 우리 논 600평에 채소를 심는다고 하였다. 오일장에서 채소 파는 기운은 하늘을 찌른다. 기가 센 어머님을 남편은 거절하지 못했다. 벼를 잔디밭이라고, 마늘쫑을 대파라고 생각한 서울내기가 얼떨결에 농사꾼이 되었다.

밭일도 못 하는 나에게 40분 거리를 사흘에 한 번씩 왕복하며 아이들 돌보고 밭일도 하라 하신다. 아파트에서 아이들 돌보고 나서 시골 컨테이너에서 주무시는 시어머님을 도와 드렸다.

수십 분 운전해서 시댁 가서 또 집안 정리하고, 오일장 가는 날은 새벽 3시에 일어나 어머님을 도우면서 십수 년의 세월이 흘러갔다. 남편과 시어머니의 간섭과 잔소리에 나는 우울증으로 사면초가 신세가 되었다.

◆화병 & 글쓰기

내 편을 전혀 들어주지 않는 남편과 나만 보면 간섭과 잔소리가 하루종일 끊이지 않는 시어머님 때문에 자살 시도. 남편과 아들은 나를 업고 응급실에 갔으나 난 살아있었다. '자살'을 거꾸로 하면 '살자'다. 열심히 살아보기로 했다.

가슴이 답답했던 세월이었다. 한 켠에 미루었던 희노애락의 여러 감정이 거대한 밀물처럼 밀려 들어왔다. 베란다 창고에 잠들어 있던 책 박스들을 뜯기 시작했다.

그동안 무얼 삼키려 해도 넘어가지 않았던 증세가 오래 지속되어 한의원에 갔다. '매핵기'라고도 하며 인두신경증이라고 말했다. 산에 가서 혼자 꺼이꺼이 한바탕 울고 등산도 하고 글을 쓰기 시작했다.

이제야 꿀꺽 목젖을 타고 넘어갔다. 살 것 같았다. 내 삶을 찾기로 했다.

◆친정엄마

내 유년 시절의 엄마는 부지런하고 강인한 체력을 가진 분이셨다. 요리 잘하시는 엄마는 함바집을 하셨다. 가발공장 다니실 때는 낮에는 공장에서 일하시고, 저녁엔 도라지를 까서 시장에 내다 파셨다. 가사도우미와 학교 청소일도 하러 다니셨다.

고관절 수술 네 번에 갑상샘 수술. 무릎 수술, 허리 수술도 세 번 하셨다.

엄마는 내가 정독도서관에 공부하러 간다고 했을 때, 입장료 100원 못 준 게 지금도 통한의 한이라고 가끔 말씀하신다. 난 전혀 생각도 안 나는데.

◆남편(68세)

남편은 내 기준에선 자수성가한 입지전적인 사람이다. 어려운 환경 때문에 공부를 포기하고 전국 팔도를 다니며 용접을 하러 다녔다. 같이 일하는 선배분이 회사를 차리며 남편에게 총무 일을 맡겼다. 계장부터 시작해 부사장이란 임원까지 승진. 회사에서 제네시스와 골프 세트까지 제공 받았다. 수시로 회사에서 밤을 새우며 10여 개의 특허 출원까지 냈다.

타인들에게는 세상 더없이 자상하고 친절한 사람이지만 아내인 내겐 명령적이고 살갑게 대하지 않았다. 그렇지만 결혼하고 36년을 취미도 없이 가정을 위해 일만 해 온 사람이다. 측은지심이 생겼다. 아이들 아버지이고 남편이니까 존경하기로.

퇴직 후 몇 년간 자영업을 하다가 어려워지자 우울증과 공황장애가 왔다. 그동안 벌어준 돈 어디 있느냐고 엉뚱한 소리를 하며 나를 괴롭혔다. 몇 년의 세월이 흐른 후에야 잘못했다고 사과했다.

그 후로 집 뒤 야산에서 그늘이 지고 어두워질 때까지 농사일하는 데에 취미를 붙였다.

◆한동순(환갑, 61세)

산과 여행만 다녀서 저축한 돈은 없었다. 32살 먹은 신랑은 결혼이 급했고 엄마는 빚을 내어 결혼을 시켰다. 독서가 취미였던 난 300여 권의 책들과 등산 장비, 그리고 200여 개의 음악 테이프만 혼수용품으로 싣고 천릿길로 시집을 갔다.

취미는 등산. 여행. 독서. 음악감상이다. 사이클도 두 손 놓고 잘 탄다. 11년의 마라톤 경력도 있다. 마라톤대회에 열일곱 번 나갔고 21km 하프 대회는 열한 번 정도 완주했다. 잘 달리지는 못했지만 한 번도 중도 포기는 하지 않았다.

요리를 전혀 못 하던 내가 까다로운 남편을 만나 일취월장. 열무 물김치도 담그고 머위장아찌도 만들어 주변에 판매도 해 보았다. 촌집에서 살다 보니 거의 1주일에 한 번씩 손님들이 갑자기 놀러 왔다. 솔직히 힘들었지만, 요리를 잘한다고 칭찬해 주니 피곤은 눈 녹듯이 사라졌다.

아가씨 때 주변에서 사람들을 잘 웃긴다고 개그우먼이나 탤런트 하라고 했다. 울산 지역 백화점 사보에 주부 모델 도전에 채택이 되었다.

올해 환갑을 맞았다. 올해는 청룡의 해. 환갑 맞은 나에게 주는 선물로 한 달에 한 번씩 서울 여행을 실행하고 있다.

◆큰아들(34세)

공부 좀 하라고 서울에 1년간 보냈다. 서울이 좋았던지 울산에 내려오지 않고 쇼핑몰을 운영한다. 저축이 안 되는 생활을 하지만 아들이 좋아해서 반대를 못 하겠다. 큰아이는 내게 아픈 손가락이다.

◆작은아들(32세)

행정학과 4년제 나오니 취직이 안 된다. 촉탁. 아르바이트만 전전했다. 폴리텍대학 10개월 과정을 다니고 있다. 자격증을 많이 따서 취직했으면 좋겠다.

◆시골집을 짓다.

인생 2막이 시작되는 시점에 14평 미니 촌집을 지었다. 1층에 7

평, 2층에도 7평. 무리하며 땅을 샀기에 현금이 없었다.

봄에는 동네 어르신들 모내기도 도와주고, 여름엔 제철 채소로 지인들을 초대해 쌈밥을 먹었다. 가을엔 고구마를 캐서 팔기도 하고 '로컬 푸드' 코너에 채소도 출하하고, 겨울엔 김장해서 소머리 곰탕까지 직접 끓여 이웃들과 지인들을 초대하기도 한다.

◈마라톤 대회 참석

2001년. 38세에.

1) 2001. 6. 3. 제1회 동강마라톤 5킬로

처음이라 완주시간도 모른 채 돌아왔다.

2005년. 42세에.

2) 2005. 9. 25. 울산 마라톤대회. 10킬로, 1시간 15분.

3) 2005. 11. 20. 제2회 울산 인권 마라톤대회. 하프. 2시간 39분(하프 1회) 꼴등으로 완주.

2006년. 43세에.

4) 2006. 1. 9. 부산 신항만 단축마라톤. 16킬로 1시간 48분.

5) 2006. 3. 1. 울산시장배 전국 하프 대회. 하프. 2시간 10분 (하프 2회, 반환점 01:03:24.37)

6) 2006. 3. 26. 울산 매일 마라톤대회. 하프. 2시간 12분(하프 3회).

7) 2006. 4. 8. 경주 벚꽃 마라톤대회. 하프. 2시간 20분(하프 4회).

8) 2006. 4. 23. 현대산악마라톤. 11.6킬로. 1시간 24분.

9) 2006. 5. 28. 경주 남산 산길 마라톤. 하프 2시간 52분(하프 5회).

10) 2006. 10. 15. 제6회 동강 마라톤 하프 2시간 14초(하프 6회).

11) 2006. 11. 12. 제3회 울산 인권 마라톤대회. 10킬로. 1시간 00분(반환점 27분 51초).

2009년. 46세.

12) 2009. 3. 1. 제10회 울산 마라톤대회. 하프. 2시간 41분 47초(하프 7회).

13) 2009. 4. 4. 제18회 경주 벚꽃 마라톤대회. 하프. 2시간 24분 17초(하프 8회).

14) 2009. 12. 6. 제9회 통영 마라톤대회. 하프. 2시간 56분(하프 9회).

2010년. 47세.

15) 2010. 1. 31. 이봉주 훈련코스 제8회 고성마라톤대회. 하프. 2시간 37분(하프 10회).

16) 2010. 6. 12. 제4회 태화강 전국 마라톤대회. 하프. 2시간 33분 (하프 11회).

17) 2010. 12. 5. 거가대교 개통 기념 국제 마라톤대회 13킬로. 2시간 33분.

epilogue

흔히들 인생은 60부터라고 말한다. 나를 귀하게 여기고 위로도 자주 해보자.

결혼 전의 나는 등산에 매료되었고 결혼 후에는 마라톤에 발을 담갔다. 힘들었던 고비도 많이 있었지만, 현실을 담담하게 받아들이고 묵묵히 잘 넘어 이 자리에 서 있다.

한 치 앞도 내다볼 수 없는 인생길에서 광대무변한 하늘을 보러 산에도 자주 가기로 하자. 그리고 탄탈로스의 갈증처럼 글에 대한 갈망이 아직도 남아있다.

마라톤 대회 나가서 꼴찌는 했어도 중도 포기한 적은 없었다. 달리기의 끈기처럼, 글도 많이 쓰고, 산에도 자주 가고, 가끔씩 마라톤 대회도 나가서 늘어지는 삶이 되지는 말자.

노후에 노령연금 저축한다 생각하고 열심히 운동하는 거다. 늘 가슴속 저 밑바닥에 침잠해 놓았던 나의 DNA를 찾아 반짝반짝 빛나는 인생이 되도록 하자.

이제부터 내 인생 다시 시작하는 거다.

눈물

이재숙

나는 눈물 많은 아이였다. 어린 시절에 아버지가 안 계시고 할아버지와 할머니랑 같이 살 때는 아버지를 먼저 보내 비통한 눈물을, 술로 한을 푸시는 할아버지. 할머니는 곡간 열쇠를 움켜쥐고 아침이면 밥 지을 쌀을 한 바가지 꺼내주셨다. 할아버지와 할머니가 주무시는 방에 쌀통이 있어서 어머니께서는 방안에서 큰 기침 소리가 나기만을 기다리셨다. 엄마는 그렇게 해서 우리에게 아침밥을 지어주셨다.

온 가족이 둘러앉아 밥을 먹다가 할아버지께서 동생과 나에게 시계가 몇 시냐고 물었다. 나는 머뭇거리고 있는데 동생이 먼저 대답을 했다. 할아버지, 할머니께서 동생은 아는데 너는 왜 모르느냐고 큰 소리, 호통을 치셨다. 나는 엉엉 눈물을 쏟았다.

나는 학교가 가기 싫었다. 학교 가는 길옆에 논둑에 앉아 울고 있었다. 그래도 학교는 가야 한다고 엄마는 싸리나무 회초리로 나를 혼냈다. 눈물의 시작인 게 이때부터 나는 누구 앞에서 내 이야기를 하려고만 하면 눈물이 나고 가슴이 먹먹해지고 내가 하고자 하는 걸 못 한다. 남들 앞에서 책을 큰 소리로 읽으려고 하면 혹시나 틀릴까 봐 두렵고, 이제는 이 못난 모습을 손녀들이 볼까 봐 두렵다.

그래서 나는 도서관 평생교육 프로그램 인문학 수업에도 참여해 보고 구연동화 수업에도 참여했다. 그러다가 같이 수업한 선생님과 돌봄센터에서 아이들을 위해서 방학 때면 나를 도와주신 선생님의 도움을 받아 내가 책과 독서록을 기증하여 아이들과 8주차 낭독 윤독하기를 해 오고 있다.

아이들의 목소리가 아침 창가에 앉아 노래하는 참새 소리처럼 들렸다. 내 차례가 되었다. 벌써 책이 춤을 추는 것 같았다. 글씨가 눈에 보였다가 안 보였다가 했다.

그런데 요즘에는 시간이 없다는 핑계로 도서관 프로그램에 관심을 두지 않았다가, 우연히 도서관을 지나다가 '내 삶, 다시 봄'이라는 수업을 마치고 나오는 정용호 선생님을 만나게 되었다. 선생님의 친절함에 용기를 내어 그 다음 주부터 나는 이 자리에 와 선생님의 수업에 귀를 쫑긋 세우고 듣고 있다. 나도 이제는 눈물과 이별해야겠다고 생각해본다.

살아온 날들의 초상

전경석

전쟁의 후유증처럼 남은 가난과 빈곤 속, 단양 삼태산 밑 만종리 석간동에 나의 할아버지가 터를 잡았다. 엄한 유교 집안의 4남매 중 막내로 태어난 나의 아버지는 사단 부관이라는 편한 군 보직을 마다하고 6·25전쟁 중에 납북된 큰아버지를 대신해 대가족의 가장이 되었다. 어린 조카 걱정에 정작 우리 가족을 소홀히 한 건 아닌가, 나는 아버지의 그 선택이 못내 원망스러웠다. 하지만 그 덕에 나 역시 조부모님과 함께 살며 일곱 살까지 귀여움을 받으며 지냈다. 새마을운동 시기로, 초가지붕 개량하고 논밭에 고추 농사, 담배 농사를 지으면서 삼 대 대가족의 생활은 점차 안정되었다.

나의 부모님은 1962년에 분가하여 자기 소유의 땅과 살림 없이 소작을 부쳐 품삯을 받아 생활했다. 그렇게 부지런히 일만 하는 부모님을 보면서 공부보다는 농사일을 배우고 동생을 돌보는 것이 가족을 위한 일임을 어렴풋이 깨달았다. 아버지는 자식 교육을 걱정하는 마음에 1978년 말, 소와 논밭을 팔아 울산으로 거처를 옮겼다. 울산은 당시 중공업 단지가 조성되어 일자리가 많았다. 우리 가족의 첫 집은 용연동 전셋집이었다. 이곳에서 나는 여러 직장을 전전하던 방황을 끝내고 1980년 초 동양나일론(효성의 모태)에 입사했다.

이즈음 불행히도 어머니의 병세가 악화되었다. 어머니께 장가가는 모습이라도 보여드리고 싶었던 나는 급하게 중매를 통해 지금의 아내를 만나 1982년 2월 결혼했는데, 어머니는 그로부터 두 달 만에 세상을 뜨셨다. 평생 고생만 하시다가 너무 일찍 눈을 감은 우리 어머니. 당장은 내게 하늘이 무너지는 크나큰 슬픔이었고, 다른 한편으로는 아버지와 여섯 동생, 그리고 아내를 먹여 살릴 생각에 한 치 앞이 보이지 않는 절망이었다. 막냇동생이 다섯 살 어린 아이였으니 어쩌겠는가. 어머니 장례를 치르자마자 바로 아버지와 동생들이 사는 전셋집으로 이사를 할 수밖에 없었다.

그렇게, 나의 모진 운명과 함께하게 된 아내는 신혼의 기쁨을 누릴 새도 없이 시집살이를 떠안게 되었다. 그것도 시아버지를 포함해 여섯 남매를 보살펴야 하는 고된 시집살이를 말이다. 나의 아내는 아는 사람이라고는 아무도 없는 울산으로 와, 내 불행의 짐을 함께 떠안으며 막냇동생을 키운다고 정말 말도 안 되게 고생했다. 대가족 살림을 도맡아 아홉 명분의 음식, 빨래, 돌봄 등 갖은 고생을 다 한 아내에게 지금까지도 고맙고 미안한 마음이 절절하다. 1985년, 시집살이 3년 차에 전세 단칸방으로 분가한 후, 열 번의 이사 끝에 1991년 5월 주택 조합으로 옥동에 내 집을 마련할 수 있었다.

나는 배움에 늘 목말라 있었다. 두 딸이 태어나고 가정이 어느 정도 안정이 되자 1985년 사내 독서 대학에 들어가고 1986년 울산시민대학 도서부에 입학하는 등, 책 읽고 강의 듣는 데 재미를 붙였다. 이때부터 글쓰기에 흥미를 갖게 되어 독후감 발표에서 금상, 백일장 산문 부문 장원, 효성 사보 수필 부문에 입선하여 상금도 받는 등 적지 않은 보상까지 받았다. 영어에도 관심이 많았는데, 비록 체계 있게 공부하지는 못했어도 단어와 문장을 닥치는 대로 외웠더니 해외 출장 때 동료들에게 도움을 줄 정도의 실력이 되었다. 신문 스크랩이나 독서 기록을 즐겨 하는 등, 정보를 읽고 수집하는 데 취미가 있었다.

일도 하고 공부도 하며 부지런히 산 삶이지만 후회도 남는다. 서너 번 이사하며 시세 차익을 남긴 사람들처럼 이렇다 할 재산을 형성하지 못했고, 심지어 퇴직금을 중간중간 정산받아 목돈도 남기지 못했다. 재산을 불리는 데 관심도 열정도 없어 33년째 같은 아파트에 살고 있다. 또, 젊은 시절에는 친구와 술로 돈, 시간, 건강을 낭비했다. 사람과 어울리는 것이 낙이었는지 회사 다니면서 향우회를 비롯해 각종 서클과 동호회에 나갔고, 17년간 노조에서 활동하며 간부도 역임했다. 아파트 총무직도 17년 동안 맡았는데, 이렇게 나서서 일을 하는 걸 보면 돈보다 사람을 좋아하나 싶기도 하다.

40년 회사생활 중 24년은 강선 연구소에서 보냈다. 연구소에서 보낸 이 시간이 회사의 일꾼으로서 보람을 느낀 때다. 2000년대

중반부터 2018년까지 중국과 베트남 공장 증설 때마다 출장을 갔다. 분석 및 실험 전문가로서 현장의 문제를 정확하게 분석하고 그 원인을 규명하는 역할을 담당했기에 나름 회사 발전에도 기여했다고 자부한다. 청춘을 다 바친 회사를 명예롭게 떠났다는 것, 그것만으로도 후회만 있었던 날들은 아니라고 위안 삼아본다.

지금은 퇴직 후 제2의 인생을 모색하고 있다. 말은 거창하지만 다른 사람들처럼 나 역시 막막하기 짝이 없다. 최근 요양보호사 자격증을 취득했고, 신임 경비교육을 받아 2년간 경비원으로 근무했다. 이 나이에도 사회인으로서 새로운 경험을 할 수 있다니, 새삼 감사한 마음이 든다. 물론 좀 더 젊었을 때 손해사정인, 주택관리사, 공인중개사, 조경기능사, 전기기능사, 산림기능사 같은 돈 되는 자격증에 도전했다면 좋았을 것이다. 나에게 있는 자격증이라고는 운전면허증밖에 없다. 고령자에 자격증도 없으니 이력서를 내도 사람들이 거들떠보지도 않는다. 울산만 보더라도 1년에 수천 명씩 베이비붐세대 퇴직자가 쏟아져 나오는데, 기술 없이 취업할 데가 있을 리가. 그래서 퇴직을 앞둔 후배들에게 자격증을 꼭 따라고 조언해준다. 불경기일수록 사람이 넘쳐나니 기간제 채용에서도 자격증이 있어야 승산이 있다고.

내 인생을 회고할 때 투병을 빼놓을 수 없다. 아픈 데가 너무 많아 걸어 다니는 종합 병원이라 할 만하다. 처음엔 별것 아니었다가 악화된 병이 한둘이 아니다. 몸이 병나니 마음마저 아프다. 한쪽 귀에 생긴 이명 증상은 치료할 방법도 없다고 한다. 기관지가 안 좋아진 지도 하도 오래돼서 불치의 병이 되었다. 최근에는 턱관절이 아파 침 치료를 받았다. 그리고 젊은 시절 술을 엄청나게 마셔댄 탓에 나이 들어 전립선 비대증이 생겼다. 심장도 선천적으로 이상이 있다고 해 정밀 검사를 받고 있다. 당뇨와 혈압은 정상이라니 그나마 다행인 걸까.

살면서 잘한 일이 있는지 생각해본다. 담배를 안 배워서 다행이다. 한 직장에서 40년 이상 근속한 것, 그 덕에 돈 걱정 없이 두 딸을 대학까지 보낸 일도 자랑스럽다. 도박과 게임을 안 한 것도 참 잘한 일이다. 더욱이 바로 아래 동생이 도박과 주식으로 개인 워크아웃까지 가게 되었으니, 도박에는 조금도 관심이 가지 않는다. 유병 장수라고 했던가, 골골 80이라 했던가? 몸도 마음도 성치 않지만 잘한 일도 돌아보면서 잘 먹고 잘 자고 욕심 없이 마음 편히 스트레스 안 받고 살려고 노력하고 있다.

유년 시절엔 몸이 너무 약해 외롭고 초라했고, 청년기에는 갈등과 번뇌로 방황했으며 중년은 고난의 연속이었다. 지금은 성찰하며 살피는 시기다. 남은 인생은 욕심을 줄이고 마음을 편하게 먹고 사는 것이 나의 몸을 보살피는 길이라고 생각한다. 현재에 만족하고, 욕심을 줄이며, 미래는 대비하고, 용기 있게 개척해 나가는 자세로 살아간다면 여생 동안 좋은 열매를 맺지 않을까? 많이 걷고 스트레스받지 않고 긍정 마인드로 주위 지인들과 좋은 관계를 유지하며 사는 것이 목표라면 목표다.

마지막으로 걱정과 눈물로 수없이 많은 날을 보낸 아내에게 사죄하고 싶다. 아내와 내가 결혼한 지 42년이 지났다. 숱한 고생과 어려움을 견디며 나를 위해 온 정성으로 가정을 돌봐준 아내에게 감사하다. 그대 없이는 나도 없다. 어릴 때 무엇을 원하고 하고 싶은지 귀 기울여주지 못했는데도 착하고 곱게 자란 두 딸이 나에겐 가장 큰 선물이고 보배이다. 결혼을 안 한다니 더 이상 할 말은 없다. 평생 건강하고 행복하게 살기를 빌고 또 빈다.

행복은 어디서 찾을 수 있을까? 지금부터 한 그루 나무를 가꾸 듯 내 몸 내 현실을 직시하여 보살핀다면 행복은 피어날 것이다. 사랑하는 아내와 가까운 바다로 산으로 오손도손 여행하는 일상의 모습으로.

운동회

정용호

남부도서관에 수업이 있는 날이다. 평소와 달리 도로가 한적하다고 생각했다. 근로자의 날이어서 그랬구나 싶었다. 그런데 도서관 골목으로 들어오자 상황이 다르다. 주차할 자리가 전혀 없다. 그런데 근처 초등학교에서 웬 사회자의 목소리가 요란히 울려 퍼진다. 주차할 곳을 찾지 못해 도서관 주변을 몇 번째 돌고 있는 나의 상황을 중계하는 것처럼 느껴졌다. 마침 빈 자리가 나서 주차를 하고 도서관을 향해 걸었다. 운동회를 하는 모양이었다.

요즘 운동회는 사회자를 데리고 와서 진행하는 모양이다. 나이가 많다고 생각하지도 않는데, 격세지감이라는 단어가 떠올랐다.

운동회는 내가 가장 싫어하는 행사였다. 부끄러움이 많았던 탓에 친구들과 어울려 활동하는 게 쉽지 않았다. 운동을 잘하는 것도 아니어서 대표로 나설 수 있는 종목도 없는 데다가, 반별로 진행하는 장기자랑 같은 것도 정말 고욕이었다. 부채춤, 포크댄스 같은 것들이 그 당시 운동회 때 하던 반별 장기자랑이었다.

운동회에서는 응원상도 주었다. 가장 큰 목소리로 아주 잘 짜인 응원을 하는 반에 응원상을 주었다. 그게 싫었던 이유도 큰 목소리를 내야 한다는 사실 자체였다. 반에서 응원단을 꾸려서 진행했다. 나는 그저 앉아서 '3학년 1반 이겨라!' 혹은 파도타기나 '337 박수' 같은 것만 치면 되는데도 도저히 바깥으로 내 목소리를 보일 수 없었다. 내 목소리는 안으로만 맴돌았다. 그러면 담임 선생님이나 응원 부장을 맡은 친구들이 눈치를 주고는 했다.

아마 김밥을 먹는 시간은 즐거웠던 것 같다. 친구들과 가만히 앉아서 김밥을 먹는 게 좋았다. 김밥을 먹을 때 엄마가 찾아오는 친구들이 있었다. 나도 엄마를 기다렸다. 엄마가 오면 반가웠던 것 같다. 운동회 때 김밥을 먹고 있는 내 모습이 찍힌 사진이 있다. 하얀 체육복에 청팀 백팀 머리띠를 하고 앉은 내 모습. 표정은 어쩐지 심드렁하다. 아버지가 찍어준 사진인지도 모르겠다. 박 터뜨리기를 하면 이제 정말 끝이었다. 나선 종목도 없는 나에게는 그저 참여상으로 주는 공책 몇 권이 전부였다. 그래서 더없이 초라하게 느껴지기도 했다. 운동회는 여러모로, 운동장에 울려 퍼지는 행진곡이 오히려 서글프고 짜증 나는, 그런 행사였다.

며칠 전부터 아들이 운동회 언제 하는지 궁금하다고 난리다. 매월 나눠주는 일정표에는 목요일에 운동회를 한다고 적혀있단다. 아들은 운동회를 기다리는 걸까? 기다린다면 왜 기다릴까. 걱정되어서일까, 설레서일까. 나와 닮은 듯 다른 아들을 보면서 마음이 미

묘해진다. 나중에 물어보니, 콩주머니 던지기를 하고 싶어서였단다. 내가 던진 콩주머니가 박을 터뜨렸으면 하는 바람으로 힘껏 던지던, 그 시절의 내가 떠오른다.

도착하고 싶지 않은 아이

정용호

도착하고 싶지 않았다. 명절 때 시골 할머니 댁을 가거나, 부산 이모 댁을 방문할 때도 그랬다.

아버지가 다니던 회사에서 진행한 그림 그리기 행사나 어린이날 행사, 공장 견학, 수학여행, 소풍, 수련회, MT. 달리는 버스는 언제나 즐거웠다.

도착하고 싶지 않았다. 도착하면 그 장소에서 나는 고통을 맛봐야 한다고 생각했기 때문이고, 실제로 그랬으니까.

그리고 싶지 않은 그림, 쓰고 싶지 않은 글쓰기, 견학, 놀이, 그리고 단합(단체기합) 따위의 행동들.

부모님과 함께 논산 훈련소를 향했다. 그날 라디오에서는 김광석의 10주기 특집 방송이 흘러나오고 있었다. 좋아하는 김광석의 노래들을 흥얼거렸다. 차는 충청도에 가까워지고 있었다. 그때부터 불안이 밀려왔다. 라디오에서는 여전히 듣고 싶은 이야기가 흘러나

오고 있었지만, 차는 도착을 앞둔 듯했다. 도착하지 않았으면 좋겠다고 생각했다. 아니, 도착할 수 없다면 좋겠다고 생각했던지도 모른다. 훈련소 인근 한 숙소에서 아버지와 어머니와 묵었다. 다음날 일어나면 나는 훈련소에 들어가 부모님을 보지 못할 터였다. 훈련소 입구 근처 식당에서 아침 식사를 하고, 1만 원짜리 시계 하나를 사서 훈련소에 들어갔다.

달리는 차 안에서 창밖을 바라보는 일이 가장 즐거웠다. 그건 지금도 마찬가지다. 머리를 자르러 갈 때 종종 버스를 이용한다. 뒷바퀴가 있어 솟아오른 자리를 가장 좋아한다. 웅크리듯 앉아서 가고 서기를 반복하는 창밖 풍경을 바라보는 일은 즐겁다. 웅크리듯 앉는 게 좋은 이유는 아마도 손톱을 물어뜯는 것과 비슷한 이유일 것이다. 불안을 달래기 위한 습관.

옆에서 달리는 자동차의 바큇살을 응시하는 일도 즐겁다. 그리고 도착하고 싶지 않다. 영원히 달리는 버스 안에 머물고 싶다. 어딘가에 내려야 한다는 사실이 무척 싫다.

며칠 전 문득, 나의 죽음을 생각하며 공포가 엄습했다. 어릴 때처럼 여전히 죽음의 공포에 사로잡힌 나. 나는 멈추고 싶지 않은데, 어쩔 수 없이 멈춰야 할 순간이 다가온다는 게 무척 슬프고 두려웠다. 아니 두렵다. 아들의 모습이 떠오른다. 그리고 나보다 먼저 도착할 부모님이 떠오르고, 그 역시 나를 두렵게 만든다.

어른스럽다는 건, 철이 든다는 건, 의연해지는 것인지도 모른다. 세는 나이로 마흔이고, 만 나이로 38세인 나는, 올해 6월에 다시

세는 나이는 사라지고 만 나이 39세가 된다. 조금 더 달릴 수 있게 되었다고 반가워해야 할까? 그럴 리가. 나는 누가 뭐래도 40년을 살았는데. 종점이 없는 버스 노선이 없듯이, 내 삶도 종점을 향해 달려간다. 어떤 불의의 사고로 중간에 멈출 수도 있다. 그런 순간이 기우에 불과함을 알면서도 쉽게 떨치지 못하는 나는 여전히 불혹이 아니다.

도착하고 싶지 않다. 영원히 달리는 버스 안에서 창밖 풍경을 바라보면서, 그렇게 앉아 있고 싶다. 멈추고 싶지 않다는 욕망은, 어쩌면 영원히 이 순간에 멈춰 있고 싶다는 욕망인지도 모르겠다. 끝내고 싶지 않은 욕망. 이 집착. 생을 향한 집착. 그렇게 나는 여전히 어린아이처럼 나약하다.

자전거

정용호

친구들이 자전거를 타고 다닐 때, 나는 걸어 다녔다. 친구 중에는 손잡이를 좌우로 흔들면서, 페달을 감았다 풀었다 하면서 내 걸음걸이에 맞춰 주기도 했다. 그것이 고마웠는지 미안했는지, 혹은 괜히 자존심이 상했었는지 기억나지는 않는다. 어느 순간부터는 모두가 걸어 다녔던 기억도 난다. 농구공을 텅텅 튕기면서 농담도 하면서.

자전거를 배우지 않았던 이유가 무엇인지는 정확하지 않다. 가장 먼저는 아마, 자신감 부족이었을 것 같다. 유년 시절, 성격은 좋지 않는데 주눅은 잘 들었던 것 같다. 골목 내리막길을 자전거로 내려오다가 전봇대에 부딪혀 넘어졌던 기억이 있다. 전봇대 옆 개똥도 밟았거나 짚었던 것 같다.

내리막길 이야기가 나왔으니 말인데, 사실 내리막길에서 사고를 많이 당했다. 장난감을 사서 기분 좋게 달려 내려오다가 공사 현장을 둘러친 철조망 울타리에 허벅지를 찢어 먹었다. 흉터가 그날을 기억한다. 태권도 새벽 반을 마치고 신나게 달려오다가 골목에서 진입하는 자동차에 부딪혀 넘어지기도 했었다. 내리막을 즐기던 나의 모습은 항상 사고로 끝났다.

자전거를 배우지 않았던 또 다른 이유는 부끄러움 때문이다. 어릴 적 배우지 않고, 나이가 든 6학년 때(중학교 1학년인가?) 처음으로 네 발 자전거를 탔다. 아버지가 자전거를 가르쳐 주겠다고 구입해 왔지만, 이미 두 발 자전거를 타고 다니는 친구들이 내가 주차장에서 연습하는 모습을 볼 것 같아 부끄러웠다. 아버지에게 퉁명스럽게 말하거나, 싫다고 짜증을 냈던 것 같다. 한두 번 탔을까? 그 뒤로 그 자전거는 아무도 타지 않았다.

자신감 부족과 부끄러움은 결국 아버지 때문이었을까? 어릴 적 많이 혼났던 기억밖에 없는 아버지에게 자전거를 배운다는 건 썩 달갑지 않은 일로 다가왔을 테니까 말이다.

바퀴 달린 것 중에서는 유일하게 탈 수 있는 자동차마저도, 사실 아버지 때문에 거부했던 존재다. 문수산을 오르면서 운전면허 이야기를 꺼낸 아버지에게 나는 불같이 화를 내고 먼저 성큼성큼 나아갔던 기억이 있다. 물론, 그러면서도 결국 운전면허를 취득했고, 군대 가서는 운전병까지 했지만 말이다.

아버지는 내가 면허를 한 번에 취득하는 걸 보고 자극을 받아, 이듬해 몇 번의 도전 끝에 필기시험을 합격하고 면허를 취득했다. 생각해보면, 그날 아버지가 나에게 면허증 이야기를 꺼낸 것은, 자신이 가지지 못한 것을 아들이 가지기를 바랐던 마음이었는지도 모른다. 다른 동료분들이 혜택을 받으며 자동차를 살 때, 자신은 자동차를 살 일이 없다는 게 속상하셨을지도 모르겠다.

지금도 자전거(나 오토바이)를 타고 질주하는 사람들을 보면, 불법 여부를 떠나 멋스럽게 보인다. 그러면서도 도전하지는 못한다. 위험하기도 하고, 그걸 배우러 다니는 나 자신의 모습이 괜히 부끄럽다. 그저 동경의 대상인 자전거와 오토바이. 아들에게 자전거를 가르쳐주지 못하는 아버지가 되어 버린 것 같아 마음이 아프다. 물론, 자전거를 탈 수 있다 한들, 내 성정 탓에, 아들에게 가르쳐줄 수 있었을지는 모를 일이다.

아들은 나를 닮았다. 내가 아버지를 닮은 탓일까.

호기심

정용호

아들에게 밥을 싸 주려고 조미김을 뜯으면 실리카겔이라는 제습제(방습제)가 들어 있다. 포장지에는 '인체에 무해하나 먹지 마세요'라는 경고 문구가 적혀 있다. 그걸 볼 때마다 어릴 적 생각이 난다.

초등학교 1학년인지 2학년인지 모를 시절에, 골목에서 뭘 먹다가 실리카겔이 들어있는 걸 발견했다. 하지 말라는 건 꼭 하고 싶은 게 사람 심리라, 그걸 너무 먹어보고 싶었다. 포장지를 뜯어 혓바닥에 실리카겔 몇 알을 올려 봤다. 효과는 확실했다. 혓바닥에 침을 빨아들이면서 문어 다리의 빨판처럼 들러붙었다. 타닥타닥하면서 들러붙는 게 재미있어서 친구들에게 권했다. 아마 다들 피했던 걸로 기억한다.

'무독성'이라는 것들은 조금씩 먹어봤던 것 같다. 지우개 싸움하기 좋던 크고 물컹한 지우개(점보 지우개), 딱풀이 대표적이었다. 지우개는 그냥 퍽퍽하고 씁쓸했고, 딱풀은 달짝지근한 향을 품은

맛이었다. 밥으로 만든 풀과 크게 다르지 않았다. 알게 모르게 먹은 것들도 참 많다. 종이도 조금 찢어 먹어봤고, 장난감 조립하면서 플라스틱 조각도 먹었고, 개미며 날파리 같은 작은 곤충도 먹어봤으니 이 정도면 아무거나 막 먹고 자란 사람이다.

물론 이런 일들은 나의 생명을 크게 위협하지 않았다. 지금도 건강하게 잘 살아있다. 다만 아직도 기억에 나는 게 휴지를 뜯어 작게 뭉친 다음 귓구멍에 집어넣었던 일이다. 그건 조금 심각했다. 혼자 조용히 앉아서 양쪽 귀에 각각 대여섯 개 정도를 넣었을 무렵, 그게 고막을 건드리는 느낌이 들었다. 그리고 말을 하거나 입을 벌리면 부스럭거리는 소리도 났다. 그래서 엄마에게 말했던 기억이 있다.

"엄마 귀가 이상해."

"왜?"

"휴지를 넣었거든"

화가 단단히 났을 엄마와 함께 병원에 가서 흡입기로 빼냈던 기억이 난다. 참, 골칫덩어리 아들이었던 게다. 그래서 호기심 대왕이 아니라, 호기심 대마왕이었다.

어린아이와 어른

이선혜

지금 나는 Alan Silvestri가 작곡한 <캐스트 어웨이>라는 영화 OST를 듣고 있다. 배구공인 윌슨을 친구로 삼아서 4년 동안 무인도에서 지낼 수 있었다. 하지만 윌슨은 뗏목의 매듭에서 풀리면서 척(톰 행크스)과 점점 멀어지게 되는데, 이때 윌슨을 떠나보내며 애처롭게 울 때 이 노래가 나온다. 로빈슨 크루소보다는 세련된, 그렇지만 인간의 고독감에 관해서 생각해 봄 직한 무게감을 지닌 영화였다고 생각한다.

이 영화에 쓰인 OST를 듣고 있으면, 외로움, 고요함, 적적함, 먹먹함을 한 번에 느끼기에는 이만한 명곡이 없다는 생각도 든다. 지나치게 우울한 것 아니냐고 묻는 사람도 있겠다. 그러나 나의 그때를, 그 감정을 이보다 잘 표현한 음악은 없다고 생각한다. 혼자 무인도에 남겨졌다고 생각했던 어린 시절 나의 감정들을.

어린 시절의 나는 어른들을 생각하면 정말 까마득한 먼 미래라고 생각했지만, 어느덧 내가 그 나이가 되었다. 막상 홀로서기를 하려니까 아무것도 할 줄 모르고 초라한 나를 마주하게 되었다. '어른스럽다'라는 말이 과연 무엇일까를 생각해봤다. 어릴 때는 부모님이 대신해줬다면 어른이라면 자기가 한 일에 책임을 진다는 것일까. 하지만 두려움이 엄습한다. 철없던 어린 시절처럼 부모님의 품에 돌아가고 싶다는 생각이 들 때가 요즘도 있다.

엄마

다섯 살 때가 기억난다. 집에 혼자 있을 때 '엄마, 엄마' 외치며 하염없이 울었다. 창문을 바라보면서 누가 오길 바라는 마음에 울었다. 엄마로부터 안정감을 찾았다. 그렇다고 엄마에게 종일 달라붙어 있는 것은 아니다. 나보다 두 살 어린 동생은 어릴 적부터 줄곧 아팠다. 간질 발작을 일으켜 새벽 중에 구급차에 실려 가고, 병원 생활을 오래 했다. 엄마는 당시에 옆에서 동생을 지켜줘야 했다. 얼마나 걱정됐을까. 하지만 그런 나는 이기적이게도 동생 걱정은 커녕 엄마와 떨어져 있는 게 슬펐다. 6살쯤 유치원 종일반을 다니고 있었는데, 나는 그냥 집에 빨리 가고 싶었다. 딱히 일이 있는 것도 아닌데도. 책상에 쪽지로 적었다.

"선생님, 오늘 엄마가 빨리 집에 오래요".

사실이 아닌데, 유치원보다는 편한 공간에 있고 싶었나 보다. 그러나 집에 도착하면 아무도 없다. 다른 식구들은 학교에 가거나, 아빠는 돈을 벌러 가셨으니까 말이다. 오후 서너 시쯤 집에 도착하면, 그렇게, 아무도 없는 집에 나 혼자 들어갔다.

이제 혼자가 익숙해지다 보니 울지 않게 됐다. 현재 우리가 쓰는 모니터는 얇은 화면이지만 그 당시는 뚱뚱한 모니터였는데, 주니어 네이버 유아 세상 '아리수' 한글 프로그램을 하면서 시간을 보냈다.

그리고 나의 안 좋은 버릇이 하나 더 있었는데 거짓말을 하는 것이었다. 특히 밥 먹을 때 거짓말이 나오곤 했다. 친구들이 자기가 어디 놀러 갔다는 자랑을 하는 것이다. 그렇게 관심받는 친구가 내심 부러웠는지, 나는 거짓말을 했다. "어! 나도 거기 갔는데"라고 말이다. 또, 밥 빨리 먹기 시합 같은 걸 벌여서, 빨리 밥을 먹는 것에 대한 자부심을 느끼기도 했다.

하루는 동생 병문안을 가게 됐다. 아직 며칠 더 입원해야 했기에 나는 집에 가야 했다. 그때 외할아버지가 나를 집에 데려다주기로 했다. 하지만 나는 엄마랑 또 떨어지기 싫어서 울었다. 떼쓰면서 아주 끈질기게 울었다. 왜 그렇게 엄마 옆에서 떨어지기 싫었는지, 지금으로서는 이해가 안 된다. 하도 울먹거리길래 외할아버지께서 병원 매점에 들러 사탕을 사주셨다. "뭐 사줄까?" 하고 옆에서 손녀를 기다려준 모습이 생각난다. 나는 막대사탕 한 통을 집었다.

집으로 가는 골목에서 걸어가던 기억이 난다. 이렇게 항상 엄마에게만 의존하고 혼자 할 줄 모르는 나로서는 언니로부터 많이 혼났다.

"언제까지 남이 해주길 바라는데, 혼자 할 줄 알아야지."

공주병이냐면서 핀잔을 주길래 오기가 생겼다. 나 혼자서 해보기로 했다. 학교 가는 언니랑 같이 이른 아침에 버스 타고, 유치원에 가게 됐다. 사람이 많다 보니 좌석에 있는 손잡이를 잡아야 했다. 나중에는 천장에 매달린 손잡이를 잡으려고 까치발을 들고는 겨우 잡기도 했다. 내가 까치발 없이 안정적으로 잡게 된 순간은 10살 쯤이었던 걸로 기억한다.

그렇게 유아기를 보내고, 2010년 12월 말쯤에 또 하나의 일이 터졌다. 동생이 크게 교통사고를 당한 것이다. 다급하고 울먹거리는 엄마의 전화는 심장을 철렁하게 했다. 사고가 났다고 말하면서 옷가지 좀 가지고 오라는 것이다. 나는 머뭇거리다가 가봤지만, 구급차를 타고 이미 떠난 뒤였다.

그해 겨울은 유난히 추웠다. 동생은 차에 부딪혀 몸이 튕겨 나갔다고 했다. 무릎 주위의 뼈가 조각나는 바람에 철심을 박아야 했다. 동생이 걱정되기도 했지만, 이번에도 엄마랑 떨어져 있게 되어서 슬픈 마음이 컸다. 그동안 집에 남은 식구끼리 집안일을 했다. 그때 나는 동생이 크게 다친 것에 대한 충격과 두려움을 느끼고, 어둡게 지냈다. 안 좋은 생각이 나면서 갑자기 눈물이 나는 경우도 있었다.

그때 생전 안 하던 일을 하기 시작했다. 책을 읽고, 꼬박꼬박 학교 방과 후 활동에 참여하고, 무엇보다 바로 옆에서 동생의 고통을 지켜봐야 하는 엄마의 마음은 어땠을까. 뭔가 걱정을 줄이고 보탬이 돼야 한다는 생각에 내 앞가림을 해보자는 다짐을 했다. 그동안은 아무 걱정 없이 집에서 등 따시고 배부르게 밥 먹으면서 지냈는데, 보통 일이 아니다 싶었다. 아무래도 이 당시에 철이 든 것 같다. 삶이 만만한 게 아님을, 정신 똑바로 차리고 살아야 한다는 깨달음을 얻었다.

이런 와중에 몇 달 후 외할머니의 부고 소식을 전해 들었다. 그 당시 뭣 모르고 '아람단'과 같은 체험 프로그램에 참여하러 갔다. 딸기 따기, 엿 만들기 등 체험을 하고 집에 돌아왔다. 엄마는 급한 대로 외할머니 장례식장에 가서 며칠간 계셨다. 내가 9살 때, 외할머니가 집에 와서 가스레인지 주변을 깨끗하게 닦아줬다. 그 후 10살 때는 병문안을 갔던 기억이 난다. 부산역 근처에 있는 메리놀병원이었는데, 당시 버스를 여러 차례 갈아타고 왕복 4시간은 넘게 걸리곤 했다. 그로부터 1년 후에 세상을 떠나셨다. 외할아버지는 10년 후인 2021년 12월에 돌아가셨다. 사실, 자주 만나지 않는 분들이라 슬픔이 실감이 안 난다. 하지만 엄마는 자신의 부모님이시기에 상실의 감정이 무척 컸을 것이다.

원망

나는 집에 원망을 많이 했다. 왜 나는 가난한 환경에서 태어났을까. 가끔은 내가 만약 다른 집에서 태어났다면 어땠을까? 하는 상상을 한다. 지금보다는 좋았겠지.

유치원에서 크리스마스 행사를 했다. 부모님이 유치원으로 몰래 선물을 보낸 후에, 산타 분장을 한 선생님이 선물을 주는 식이었다. 어릴 때는 보통 공주 인형, 로봇 세트 등 번쩍번쩍 멋지고 값비싼 장난감을 갖고 싶어 한다. 사실 나도 마찬가지였다. 그런데 내가 받은 선물은 모자, 목도리, 장갑 세트였다. 받고 나서 실망했다.

'에게, 이게 뭐야.'

없어 보이고, 별로고, 쓸모없어 보였다. 주변 친구들은 장난감을 받았는데, 속상했다. 지금 생각해보면 한겨울에는 목도리, 장갑이 훨씬 실용적인데, 그 당시에는 장난감을 못 가졌다는 생각에 집을 원망했다.

언젠가 엄마가 입고 가라며 옷을 건넸다. 털모자가 달린 솜이 빵빵하게 든 빵빵한 패딩이다. 입고 가긴 했지만, 당시의 나에게는 너무 큰 나머지 덩치가 커 보였다. 그때 한 친구는 나를 '골룸'이라고 했다. 그 놀림을 받기 싫어서 다음날부터는 안 입고 갔다. 옷에 관한 또 다른 얘기가 있다면, 9살에 추운 날이다. 엄마가 이 옷을 입고 가라며 줬다. 하지만 입기 싫고, 촌스러웠다. 나는 옷을 입는척하면서, 문 앞에 두고 그냥 갔다.

지금 와서 생각해보면, 엄마가 나중에 보고 어떤 마음이었을까. 속상하진 않았을까. 나름대로 생각해서 챙겨줬더니 옷이 내팽개쳐져 있다니. 6명의 식구를 키우느라 정말 고생이 많으셨을 것 같다. 어떻게든 좋은 기회를 주고 싶어 했다. 하지만 나는 당연하게 여겼고, 고마운 줄 몰랐다. 가끔은 이런 생각을 한다.

놀림

어릴 적부터 이유 없는 놀림에 굉장히 위축됐다. 언니가 반에서 따돌림을 당했는데 그이의 동생이라는 이유로 언니의 이름을 따서 초등학교 6년 내내 줄곧 놀림 받았다. 그게 단순히 별명이나 애칭

이 아니라 뒤에 따라오는 야유와 조롱을 섞은 놀림이었다. 나는 그 소리를 들을 때마다 얼굴이 화끈거리고 어딘가에 숨고 싶어졌다. 특히나 학교에서 가족 소개하는 시간을 가질 때는 난감하다. 새 학기마다 적어야 하는 '인적 사항, 부모님의 직업, 가족 소개란'을 적을 때 뭘 적어야 할지, 부끄러웠다.

우리 가족은 1남 5녀에 부모님까지 8명이다. "요즘 세상에 식구 많은 집은 처음 본다!" 항상 관심의 대상이 됐다. 나는 관심받기 싫어서 대충 둘러댄다. 식구 수를 대폭 줄여 말했다. 또 학교에 찾아올 때는 너무 부끄럽고 창피하고, 수치스러웠다. 가령 운동회 같은 데나, 행사 있을 때 내가 오지 말라고 못을 박았다.

내 동생은 장애가 있다. 그런 동생을 얕잡아보고 놀릴 때면, 나는 동생을 보호해주지 못했다. 하루는 동생이 집으로 가는 길인데, 한 애가 동생을 보고 야유하고 조롱했다. 나는 기분이 나빴지만, 큰소리를 치지 못했다. 동생에게 퍼붓는 조롱이 곧 나에게 분노를 줬다. 왜 그런 소리를 들어야 하는지. 그렇지만, 별말을 못 했다. 동생이 놀림당할 때 나서서 막아주지 못하는 나약한 누나였던 것이다. 나중이 돼서야 '그때 그 말을 할걸.' 하고 후회했다.

있는 그대로 인정하기

동생이 놀림당하는 것에 기분 나빴는데도 불구하고, 왜 아무 말도 못 했을까. 나는 집에서와 밖에서 태도는 다르다. 이른바 '방구석 여포'다(지금은 정반대다. 할 말은 하는 편이다). 집에서는 큰소리를 떵떵 치지만, 밖에서는 내 의견을 주장 못 한다. 또한 집에서는 나 역시 동생을 놀리곤 한다. '장애인'이라거나, 비하 발언을 일삼는다. 엄마는 나를 보고 화를 내셨다. 당연히 하나뿐인 소중한 자식인데 모욕하는 말을 들으면 어떨까.

어릴 적에는 남들에게 들은 말을 곧이곧대로 받아들이고, '아 나는 이런 사람이구나' 하고 판단하게 된다. 남들의 생각이 곧 '나'를 결정하는 것이다. 분명 좋은 면이 있는데도 불구하고 나쁜 면만 보게 된다. 동생과 교회에 다니곤 했다. 하지만 동생은 워낙 남들과 다르다 보니, 또래 친구들은 줄곧 피한다. 무슨 해코지를 당할까 도망간다. 처음에 그런 모습을 보니까 속상하고 슬펐다. 하지만 그들 입장으로는 당연히 보호하기 위한 행동이었을 것이다.

어느 날은 교회에서 동생이 사람들 앞을 지나갈 즈음이었는데, 주눅 들었는지, 고개를 푹 숙이고 어깨를 떨구고 다닌 것이다. 동생은 말을 못 할 뿐이지 누구보다 예민하다. 사람들의 따가운 시선을 의식하는 것이다. 표정과 분위기를 감지하고, 말귀를 다 알아듣는다. 자신을 욕하는지 다 알아듣는다. 하지만 나 역시 동생에게 방관자에 지나지 않았다.

동생은 신발을 잘 안 신는다, 그래서 밖을 돌아다니고, 그대로 집을 돌아오면서 방에는 모래로 푸석푸석하게 만들어놓는다. 그럴 때면 큰소리를 치고, 화를 낸다. "제발 신발 좀 신고 다녀!"

지금에서야 내 입장으로만 동생을 판단하지 않았는가, 돌이켜본다. 동생을 있는 그대로 받아들이지 못하고, 내 기준으로만 바라보고 옳다, 그르다 구분하는 데 급급하지 않았는가. 하지만 원래대로 되돌아온다. 이제는 체념했다. 쟤는 원래 저런가 보다.

#흉터

나는 어릴 적부터 줄곧 많이 다쳤다. 머리에 혹도 나고, 심심하면 머리가 찢어져 꿰맸다. 길 가다가 얼마나 넘어지는지, 손바닥을 자주 찢겼다. 아스팔트에 갈린 그 상처는 너무 고통스럽다. 마지막으로 기억나는 게 11살 때까지는 넘어진 듯하다.

학교 방과 후 마치고 오후쯤 해가 저무는 하늘을 보고 집으로 가는 길이 떠오른다. 머릿속으로는 또 넘어지는 거 아닌가, 하는 시뮬레이션을 했다. 그런데 실제로, 넘어졌다. 전에 까졌던 무릎 상처가 채 아물기도 전에 또 넘어진 것이다. 상처가 덧난 나머지, 욱신거렸다. 다치면 아픈데 울지는 않았다. 울면 약한 것이라는 생각을 가지고 있었다. 일부로 덤덤한 척을 하면서 눈물 흘리는 일이 없다. 슬프기보다는 짜증 났다. '아 또 넘어졌네'.

그 뒤로는 걸을 때 '이번엔 안 넘어져야지' 하고 최대한 예민하게 신경을 곤두서고 걸었다. 그러다 차츰 넘어지는 일이 없어졌다.

나에게는 오른쪽 정강이에 스무 바늘을 꿰맨 흉진 흉터가 있다. 9살 때 생긴 흉터인데, 시간이 지났다 해도 그 커다란 상처는 여전히 남아있다. 다시 상처가 생기기 전으로 돌아가고 싶다. 하지만 이미 일어난 일은 돌이킬 수 없다.

상처를 받아들여야 한다. 이 흉터와 함께 평생을 살게 된다. 한여름에는 반바지를 입는데, 흉이 잘 보인다. 보통은 흉터를 가리고자 긴바지를 입는데, 너무 덥기도 하고, 아무렇지 않게 반바지를 입는다. 어릴 적엔 내 흉터를 흉측하고 부끄럽게 여겼는데, 지금은 마냥 미워하지 않는다.

그 사이에도 많은 상처가 생겼다. 예기치 못한 곳에서 일어난 사고, 집 근처 도로에서 길을 건너다 사고를 당해, 허벅지가 스프라켓(자전거 체인과 맞물리는 뒷바퀴에 있는 톱니바퀴)에 찔려, 톱니바퀴 모양의 흉이 생겼다. 사고를 당했을 땐 '왜 나에게 이런 일이 생겼을까'하고 원망했다. 그 길로 가지 말걸, 바꿀 수 없는 과거를 반추하며 괴로워한다.

하지만 분명 좋은 일은 있었다. 사고가 이만해서 다행이라고, 더 크게 났으면 어땠을까. 또 몸이 아프다 보니까 건강했을 때 몸을 함부로 대한 것을 반성하게 된다. 무슨 일이든 양면성이 있기 마련이다. 부정적인 생각이 너무 큰 나머지 좋은 면을 못 본다. 기적적으로 나는 죽다 살게 된 것이다. 지금부터는 두 번째 인생인 것처럼 삶을 충실히 살아야겠다는 마음가짐을 준다.

강한 태풍이 찾아와 사과 농가들은 울상을 지었다. 하지만 사과 몇 개는 여전히 가지에 매달려 있었다. 강한 바람 속에서도 떨어지지 않아, '합격사과'라고 불리며 비싼 값에 팔렸다.

인생은 항상 순탄하게만 흘러가지 않는다. 한 번 넘어졌을 때 다시 일어나는 자세야말로 단단한 사람의 모습이다. 되도록 안 다치면 좋겠지만, 넘어져서 낙담하기도 할 것이다. 그리고 자잘한 흉터가 계속 생길 것이다. 하지만, 나는 흉터가 생기는 것을 두려워하지 않을 것이다. 흉터를 숨기려 하지도 않을 것이다. 세월의 흔적을 고스란히 보여주는 나이테처럼 상징으로 여기며, 꿋꿋하게 살아갈 것이다. 흉터로 또 하나의 배움을 얻게 된다. 흉터를 가지고 꿋꿋하게 살아나는 것이 자랑스럽다.

달리기

당장 무슨 일을 하고 살지 막막하다. 망설이는 사이에 시간은 흘러간다. 매정하지만 기다려주지 않는다. 망설이지 말고 뭐라도 하는 게 좋지 않을까. 어느새 자꾸만 위축되는 나를 봤다.

'해도 안 될 것 같다'라는 생각과 두려움이 엄습한다. 올 3월에 무기력증이 최고조에 달했다. 밖으로 안 나가고, 동태눈을 한 채로 휴대전화만 보고 있는 것이다.

이것이 나인가. 다른 나의 모습은 없는가.

21년의 나는 경기도 안산에 돈을 벌기 위해 무작정 올라갔다, 그렇게 일과 집만을 오가며 쳇바퀴와 같은 무료한 일상을 보내고 있었다. 매일 같이 반복되는 삶이 지겹기까지 했다.

하지만 나는 정말이지 심각했다. 사람들이 밥 먹는 이유는 영양분을 공급하고 힘을 얻기 위함일 것이다. 하지만 나는 어떤 알 수 없는 마음속의 공허함을 채우기 위해 먹는 것이다. 그래서 그냥 입에 기계처럼 음식을 쑤셔 넣었다. 그렇게라도 하면 괴롭던 마음이 잠깐이라도 사라진다. 음식만큼 값싸고 효과적인 기분전환은 없을 것이다. 하지만 그 이후에 후폭풍이 몰아닥친다. 유튜브를 보면서 음식을 쑤셔 넣는 행위를 하다 보니 많은 양을 흡입하듯 먹었고, 배부름도 의식하지 못하고 먹었더니 나중에 소화가 안 돼서 배가 아픈 것이다.

음식 먹을 때 스마트폰을 보면서 먹으면 비만이 될 확률이 높아진다고 한다. 보통 음식을 먹을 때 그 음식의 냄새, 색, 식감, 분위기, 기분이 종합해서 사람들에게 다가온다고 한다. 하지만 스마트폰을 보면 사람이 멀티태스킹이 안 되기에 스마트폰 속 유튜브 영상에만 집중하게 되고, 그로 인해서 내가 먹고 있다는 걸 인지하지 못한다고 한다. 그러다 보니 평소와 비슷한 양을 먹었음에도 불구하고 포만감을 못 느껴 더 많이 먹게 된다는 것이다.

어쨌든, 일 마치고 나서 밥만 먹고 자고 일어나는 짐승과 다를 바가 없는 나의 이런 생활이 반복되다 보니 정말 이대로는 안 되겠다고 생각됐다. 뭔가 바꿔야 했다.

심리적인 공허함에서도 벗어나고 싶었다. 기분이 안 좋으면 맨날 폭식하면서 일시적으로 기분을 풀지 말고, 그렇게 다른 방법으로 기분을 풀어보자는 생각으로 공원을 돌고 오자고 마음먹었다. 집 앞 공원을 돌면서 소화도 시키고, 우울한 기분도 싹 풀어보기로 했다.

살면서 달리기를 한 지가 언제인지 까마득했다. 뛰고 나서 숨차는 느낌이 너무 싫었고, 무엇보다 힘들었다. 진짜 뛰어야 하는 순간이 있다면 지각했을 때나 막 버스정류장에서 떠나려는 버스를 탈 때뿐이다.

'뛰면 안 힘드나, 사람들 다 운동하네. 나도 그냥 한번 뛰어볼까?'

공원을 걷다 말고 뛰어보았다. 와, 한 바퀴 뛰고 숨차서 다시 걸었다. 무척이나 힘들었다. 그런데 왠지 모르게 뿌듯했다. 힘들어 보였던 걸 내가 실제로 해냈다는 생각에 말이다.

'와, 내가 한 바퀴나 뛰었다니, 다음엔 두 바퀴 연속으로 뛰어보자.'

이렇게 목표를 점차 늘려가면서 달리기에 흥미를 느끼게 됐다. 그 뒤로 나의 하루엔 1시간씩 꼭 러닝을 했다. 달리기를 시작한 지 정확히 1년 3개월 후에 나는 마라톤을 완주하였다. 22년 경주 국제 마라톤, 22년 JTBC 마라톤, 23년 경주 국제 마라톤, 23년 JTBC 마라톤까지 총 4번이나 완주할 수 있었다. 42.195km를 달렸다니 나 스스로도 놀랐다.

마라톤 대회에 나가면 정말 다양한 사람을 본다. 루게릭병에 걸린 아들이 탄 휠체어를 끌고 달리는 아버지, 시각장애인임에도 달리는 분, 몸이 불편함에도 전혀 개의치 않고 달리는 모습에서 감동을 느꼈다. 마지막으로 어떤 분이 한 말 중에 영감받은 말이 있었다. 일반스포츠는 승자와 패자가 있지만, 마라톤은 승자만 있다는 게 너무 좋다는 것.

나약해지고 도망치고 싶을 때마다, 달리기는 나약한 나를 다시 일으켜준다. 나와의 싸움이다. 타인과 지나치게 비교하면서 스트레스를 받는 일이 너무 심해진 요즘, 마라톤은 오로지 과거의 나와 현재의 나를 비교할 뿐이다. 매일 달리기할 때마다 새삼 깨닫는 것이 있다. 경쟁자는 나 자신일 뿐이라는 사실. 달리기는 정말 나의 삶의 원동력이라고 말하고 싶다. 나의 한계에 멈추지 않고 더 나아갈 수 있다는 걸 깨닫게 했다. 그 경험은 무엇이든 할 수 있을 것이라는 용기를 북돋아 준다.

불안해소방법

세상은 보는 이에 따라 달라진다. 아침 6시 반에 운동하러 나갔다. 맑게 갠 하늘에 떠 있는 해를 보면서 왠지 모를 벅찬 감정, 상쾌함을 느꼈다. 또 다른 누군가는 눈부시다고 짜증 낼 수도 있다. 사람은 자신의 선택으로 주도적으로 어떤 일을 할 때 통제감을 느낀다. 타인에 지시에 따라 행위를 한다면, 스트레스와 함께 강제로 한다는 느낌을 받는다.

아침에 일어날 때도 마찬가지다. 해가 벌써 중천에 떠 있는 걸보고, 깜짝 놀라 시계를 확인하며 일어날 땐 찌뿌둥함도 함께 느껴진다. 반면, 내가 일어나기로 한 시간에 맞춰 일어나면 통제감을 준다. 분명 일어나기 전에 오만가지 생각이 들곤 했었는데, 누운 자리에서 몸을 일으키자마자 걱정거리가 사라졌다. 이불을 개고, 바닥을 쓸었다. 아침 운동을 하는 게 목표였기에, 운동복으로 갈아입고 밖으로 나갈 채비를 했다.

나가기 전에는 바깥 날씨가 너무 추운 것 같다는 둥 핑계가 가득했지만, 막상 나가면 핑곗거리도 사라진다. 나는 걷고 있었고, 아침 해를 보면서 생각이 바뀌었다. 내가 할 일이 있음에 감사했다.

나와의 약속대로 아침 러닝을 가기로 했으니까, 뜀박질을 시작했다. 얼마 안 가서 숨이 찼다. 아직 갈 길이 한참 남았다는 것이 부담감을 줬다. 하지만 내가 지나온 길은 미처 기억하지 못한다. 왜 그럴까. 앞으로 할 것, 해야 할 분량만 생각하다 보니 부담감을 느낀다. 책을 읽을 때도, 두께를 보면서 '아직 이만큼이나 남았다는 거야?'라고 생각한다. 그 앞의 몇 장을 읽었든 새로운 영감을 얻고 내게 도움이 된다면, 속도는 상관없다. 내가 읽었고, 뛰었다는 사실에만 집중하면 된다. 어떻게 보면 가시적으로 보이는 것에 매여있을 때 불행해지는 것 같다.

나는 "요즘 뭐 하고 지내?"라는 말이 왜 이렇게 부담스럽고, 아니꼽게 들릴까. 안부를 묻는 건데, 뭔가를 해보여야 한다는 강박감 때문은 아닐까. 기대에 부응하는 답을 못하기에 침묵할 뿐이다. 내가 어릴 때 엄마는 홈쇼핑을 자주 봤다. 그러고는 실제로 물건을 막 구매했다. 그러다 보니 쓰지도 않는데 물건이 쌓여있다. 그때는 몰랐다. 하지만 최근에서야 알게 됐다. 엄마는 쇼핑하면서 스트레스를 푸는 것이었다.

엄마한테 "그만 좀 사"라는 말은 통하지 않을 것이다. 엄마의 감정을 해소하는 방식은 이미 쇼핑하면서 푸는 것이기에 다른 방법을 마련해줘야 한다. 그리고 엄마 역시 그만 사야겠다는 것을 알지만, 쉽게 못 하는 이유가 다른 방법을 떠올리지 못하기 때문이다. 알면서도 하지 못하는 것이 많다. 말보다는 행동을 먼저 한다.

나는 아직도 '나'를 잘 모른다. 내가 어떨 때 불안을 느끼고 해소하는지 몰랐다. 단순히 먹는 걸로 해결하는 게 다였다. 그러다 보니 속이 불편하고, 기분도 나빠졌다. 요즘엔 방법을 찾은 것 같다. 글쓰기, 뛰기, 청소하기, 설거지하기.

글을 쓸 때 편안하고, 생각이 정리된다. 뛸 때만큼은 괴로운 생각이 없어지고, 내가 살아있다는 느낌을 받는다. 청소할 때면 물건을 마구잡이로 사용하고 아무 데나 던져놓는 것을 본다. 길거리는 미화원들의 청소 덕에 깔끔하게 정돈돼있다. 나 역시 청소할 때 깔

끔한 환경을 조성하면서, 내 머릿속도 단순해진다. 설거지할 때면 식기를 세척 하면서 일용한 양식을 먹은 것에 감사하고, 다음 식사를 위해서 준비해놓는다.

기억

갑자기 꿈속에 옛날에 있었던 일이 떠오른다. 어릴 때 집에서 있었던 일이라던가, 과거의 선생님이 꿈속에 나온다. 왜 기억이 떠오르는 것일까. 하지만 현재로서는 다시 돌아갈 수 없는 것이다. 사진첩을 펼쳐보면 잊혔던 일들이 새록새록 떠오른다. 정말 어제일만 같이 생생한데, 어느덧 2024년이라는 시간이 되었다. 해맑게 웃는 사진을 보고 있자니 이질감이 든다.

'이게 나야?' 천진난만하게 웃고 있고, 뭐든지 할 수 있을 것처럼 당찬 모습을 하고 있었다. 그 아이는 유아기, 청소년기를 지나 성인이 되었을 때, 하나둘씩 희망을 잃어버렸다.

무엇을 해도 나는 못 할 것이라는 생각이 든다. '에게, 내가 과연 되겠어?' 회의적인 생각이 들고 자꾸만 도망치고 숨고 싶어졌다. 꿈 많던 아이는 어느덧 희망을 잃어버리고, 무기력한 상황이 돼버렸다.

그러던 중 도서관 평생교육 강좌 중 '내 삶, 다시 봄 자전적 에세이 쓰기'를 신청하게 되었다. 언젠가 한 번은 자서전이라는 글을 쓰고 싶었기 때문이다. 글을 잘 쓰는 것은 아니지만 평소에 내 생각을 정리하는 데 무척 도움이 된다. 게다가 일을 쉬는 상황이라 마침 참여할 수 있었다.

2000년생인 내가 제일 나이가 작은 것 같은데, 부모님뻘 되시는 분들이 많이 계셨다. 처음엔 무슨 글을 쓸지, 주제도 안 잡혔는데, 정용호 선생님께서 평상시 쓰던 글을 소개해주셨는데 나도 그러면서 글 소재를 점차 좁혀나갈 수 있었다.

나는 어린아이가 어른으로 성장하는 이야기를 담고 싶었다. 중간에 글이 막힐 때는 '에이, 그냥 하지 말까.', '내가 뭐 잘난 게 있다고 글을 쓰냐' 그냥 피하고 싶었다. 그렇게 글을 안 쓰고 있다가, 막바지에 이르러서 글을 써야겠다는 용기가 생겼다. 다른 분들이 쓴 글을 잠깐 보는 시간이 있었는데 참 생각이 많아졌다.

사람 그 자체로 많은 시련을 견뎌내면서 살아온 삶을 우러러보고 존경하게 된다. 어떻게 살아야 하는지는 사람마다 다르겠지만, 겉보기에는 다르지만 같은 목표를 바라보고 살지 않나 싶다.

노인과 청년의 행복도를 비교한 실험이 있는데, 이상하게도 젊고 건강할 때보다, 삶이 얼마 남지 않았다고 생각할 때 순간을 소중하게 여기고 행복도가 높아진다고 한다.

나무에게도 명당자리라는 게 있을까. 사람은 직업, 재산, 차, 집을 보고 소위 잘사니, 못 사니 짐작한다. 또 자신이 못 가진 것에 대해 부러워하고, 나도 저러고 싶다는 마음을 갖는다. 이것이 삶의 원동력이 되기도 하지만, 또 다른 이에게는 질투와 열등감, 자격지심을 안겨 준다. 토양에도 척박한 환경, 비옥한 환경 여러 가지가 있듯이. 나무가 뿌리 내리기에도 좋은 자리가 있을 것이다. 비옥한 토양이면 좋겠지만 그렇지 못한 상황일 때, 나무는 상대 나무의 환경을 과연 부러워할까. '내가 저 자리에 있었더라면…'하고 부러움을 느끼며 질투할까?

지금의 나 역시도 마찬가지다. 나는 두려움과 무기력증에 빠지면서 자꾸만 도망치고 싶다는 생각이 든다. 그럴 때마다, 인생을 멋지게 사신, 지금도 재밌게 살고 계시는 선생님들의 정기를 이어받아야겠다. 도망치지 않고 일단 부딪쳐보자는 마음으로 앞으로의 삶을 살고 싶다. 지금 내가 할 수 있는 것부터 시작해봐야겠다. 좌절에 빠진 나에게 일어서게끔 도와준 '내 삶, 다시 봄' 자리를 마련해 준 남부도서관에 감사하고, 정성스럽게 글을 첨삭해주신 정용호 선생님께 감사하다. 글을 쓰면서 상처받은 내면의 아이를 치유할 수 있었다. 글쓰기가 정신과 치료 이상의 효과를 불러일으킨다는 선생님 말에 백번 공감이 된다. 10년 후에 이 글을 본다면 어떤 느낌일까.

편집후기

　'후회(後悔)'는 뒤늦게 깨닫는 것입니다. 그래서 항상 부정적일 수밖에 없는 것처럼 느껴집니다.

　후회로 점철된 삶은 현재를 살아갈 힘을 잃게 만듭니다. 후회는 뒤돌아보는 감정이며, 앞을 보지 못하게 만드니까요. 후회를 반성과 연결할 때 자신을 쉽게 비난할 수 있습니다. '그때', '차라리', '어쩌면'이 끄집어내는 지난날의 장면들로 말입니다.

　그러나 인간은 항상 '지난날'과 '오늘', '미래'가 뒤섞인 상념에 사로잡히지 않나요. 그 복잡한 실타래에서 삐쳐 나온 한 가닥의 생각은 우리를 과거로 이끌기도 하고, 현재에 집중하게 하기도 하고, 미래를 꿈꾸게도 만듭니다.

　그런 점에서 후회는 '다시 돌아와(回) 만남(逅)'을 의미하는지도 모르겠습니다. 불현듯 나를 찾아온 '지난날의 기억'과 '만들어나가는 현재'의 시간. 그 둘의 화해로 '꿈꿔보는 미래'는 어쩐지 밝은 빛으로만 느껴집니다. 잘되지 않더라도, 억지로라도 그렇게, 살아보는 것도 나쁘지 않겠습니다.

내 삶, 다시 봄으로써

내 삶, 다시 봄이 될 수 있으니까요.

지금, 우리처럼요.